Y GŴR O PHOENIX

Nofelau Bob Eynon
o Wasg y Dref Wen

I BOB OEDRAN
Ffug-wyddonol
Y Blaned Ddur ✓

Antur a Rhamant (gyda geirfa)
Y Ferch o Berlin *
Y Bradwr * ✓
Bedd y Dyn Gwyn *

Gorllewin Gwyllt (gyda geirfa)
Y Gŵr o Phoenix *

Dirgelwch: Cyfres Debra Craig (gyda geirfa)
Perygl yn Sbaen ✓
Y Giangster Coll
Marwolaeth heb Ddagrau

I BOBL IFANC
(gyda lluniau du-a-gwyn)
Crockett yn Achub y Dydd
Trip yr Ysgol
Yn Nwylo Terfysgwyr
Castell Draciwla
Arian am Ddim ✓

* hefyd ar gael ar gasét yng nghyfres
LLYFRAU LLAFAR Y DREF WEN

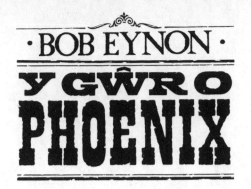

· BOB EYNON ·
Y GŴR O PHOENIX

DREF WEN

Cyhoeddwyd dan nawdd
Cynllun Llyfrau Darllen
Cyd-bwyllgor Addysg Cymru.

© Bob Eynon 1989
Cyhoeddwyd gan Wasg y Dref Wen,
28 Ffordd yr Eglwys,
Yr Eglwys Newydd, Caerdydd
Ffôn (01222) 617860
Argraffwyd ym Mhrydain.

Argraffiad cyntaf 1989
Adargraffwyd 1992, 1996

I Eleanor ac Alun Mathias

1.

Roedd y ddau ddyn yn marchogaeth tua'r bryniau pell. Roedd yr awyr yn las ac yn glir, ac roedd y gwynt ysgafn yn teimlo'n boeth ar eu hwynebau.

Wrth lwc, roedd yr haul yn isel ar y bryniau. Roedd hi'n dechrau machlud ac roedd y dynion a'u ceffylau yn taflu cysgodion hir ar y ddaear frown.

Roedd un o'r dynion yn gwisgo seren ar ei grys. Dirprwy-siryf oedd e. Roedd e'n cario dryll yn ei wregys a reiffl wrth ochr ei gyfrwy. Roedd y llall yn ifanc, ugain oed efallai. Roedd wedi ei wisgo fel cowboi, ond doedd dim gwn ganddo, ac roedd ei ddwylo mewn gefynnau. Carcharor oedd e ac roedd golwg sarrug arno.

Edrychodd y dirprwy ar y bryniau yn y pellter.

"Ydych chi wedi blino?" gofynnodd.

Atebodd y llanc ddim gair. Trodd y dirprwy ei ben ac edrych arno.

"Atebwch. Ydych chi wedi blino?"

Siglodd y llanc ei ben.

"Nac ydw," meddai'n dawel.

"Iawn. Fe fyddwn ni'n cyrraedd y bryniau cyn bo hir ac yn gwersylla yno dros nos. Ydych chi'n cytuno?"

"Rydw i'n cytuno," atebodd y llanc.

A dweud y gwir doedd dim ots ganddo. Carcharor oedd e — ar y gwastad neu yn y bryniau. Ond roedd rhaid iddo ateb. Roedd y dirprwy yn siaradus iawn a doedd e ddim yn hoff o farchogaeth mewn distawrwydd.

Pan gyrhaeddon nhw'r bryniau roedd yr haul wedi machlud yn barod. Disgynnon nhw o'r ceffylau yn ymyl nant fach.

"Dyma le hyfryd," meddai'r dirprwy yn hapus. "Mae digon o ddŵr i ni ac i'r ceffylau. Fe fydda i'n cynnau tân ger y coed."

Roedd rhaid i'r dirprwy baratoi bwyd i'r ddau achos bod dwylo'r carcharor mewn gefynnau o hyd. Rhoddodd e fwyd i'r llanc ac eisteddon nhw yn ymyl y tân.

"Ers faint rydych chi wedi bod yn y carchar, Siôn?" gofynnodd y dirprwy yn sydyn.

"Dwy flynedd," atebodd y llanc. "Dwy flynedd o lafur caled."

Cododd y dirprwy-siryf gwpanaid o goffi du.

"Wel, mae tair blynedd arall 'da chi," sylwodd. "Ond rydych chi wedi bod yn garcharor da. Dyna pam rydych chi'n symud i garchar arall nawr. Fydd dim llafur caled yn y carchar newydd."

"Mae'r carcharau i gyd yn galed," meddai'r llanc yn grac.

Chwarddodd y dirprwy.

"Wel, beth roeddech chi'n ei ddisgwyl? Fe laddoch chi ddau ddyn yn Phoenix."

Ddywedodd y llanc ddim gair am funud. Wedyn:

"Nid arna i roedd y bai," meddai. "Roeddwn i'n chwarae cardiau gyda nhw yn y salŵn. Roedden nhw'n feddw ac yn chwarae'n wael. Pan enillais i swm o arian fe ddywedon nhw fy mod i'n twyllo."

"Beth ddigwyddodd?" gofynnodd y llall gyda diddordeb.

8

"Fe aethon nhw am eu dryllau."

"Ond roeddech chi'n rhy gyflym iddyn nhw."

"Oeddwn; ond doeddwn i ddim eisiau lladd neb."

"Ac wedyn . . . ?"

"Fe redais i i ffwrdd. Roedd ofn mawr arna i. Doeddwn i ddim yn meddwl yn glir. Fe ddaeth Siryf Clarke ar fy ôl i gyda *posse*."

"Yr un Bob Clarke sy'n siryf yn y Graig Wen ar hyn o bryd?"

"Ie, yr un un."

"Felly roedd Bob Clarke yn rhy gyflym i chi," sylwodd y dirprwy.

"Nac oedd, ond roedd *posse* 'da fe," meddai Siôn yn chwerw. "Doedd dim siawns 'da fi."

"Wel, rydych chi'n enwog erbyn hyn, Siôn. Dydy pobl ddim yn dweud Siôn Watt; 'Mellten' ydy eich enw chi nawr. Roedd y ddau ddyn yna yn dda gyda gwn, ond doedden nhw ddim cystal â chi."

Deffrôdd Siôn Watt yn sydyn. Roedd e wedi clywed sŵn yn y nos. Nawr roedd rhywun yn agor y gefynnau ac yn ei helpu i godi o'i sach gysgu. Cyrhaeddon nhw'r ceffylau heb wneud sŵn ac yn fuan roedden nhw'n mynd fel y gwynt allan o'r bryniau. Roedd Siôn Watt yn rhydd!

2.

"Am faint o'r gloch mae'r cyfarfod?" gofynnodd

9

Siryf Bob Clarke i'r maer, oedd yn eistedd o'i flaen yn swyddfa'r siryf.

"Am ddau o'r gloch," atebodd y maer. Dyn mawr oedd e ac roedd e'n gwisgo siwt las gostus.

Edrychodd Clarke ar ei wats boced.

"Mae hi'n hanner awr wedi un," meddai. "Mae digon o amser 'da fi i fynd allan a phrynu baco."

"Peidiwch â bod yn hir," dywedodd y maer. "Fe fydd llawer o ffermwyr yn y cyfarfod."

Cododd Clarke o'i gadair.

"Peidiwch â phoeni," meddai. "Fydda i ddim yn hwyr."

Cerddodd y siryf yn gyflym drwy stryd fawr y Graig Wen. Pan gyrhaeddodd siop y groser gwelodd Alis Jones, merch y groser, yn trefnu blychau ar y cownter.

Merch hardd oedd Alis. Roedd ei llygaid yn las, las ac roedd ei gwallt melyn yn syrthio dros ei hysgwyddau.

"Hylo, Alis."

Cododd y ferch ei phen a gwenu arno. Roedd yn amlwg ei bod hi'n falch o'i weld e.

"Prynhawn da, Siryf. Oes eisiau rhywbeth arnoch chi?"

"Dim ond paced o faco, os gwelwch yn dda."

Rhoddodd Alis baced iddo a gosododd e'r arian ar y cownter.

"Beth am gwpanaid o goffi, os nad ydych chi'n brysur?" meddai'r ferch. "Mae'r tegell ar y stof."

"Diolch yn fawr, ond does dim amser 'da fi. Mae

10

cyfarfod pwysig yn neuadd y dref am ddau o'r gloch. Pob hwyl, Alis."

Ar ôl iddo adael y siop aeth y ferch at y ffenestr a'i wylio'n cerdded i fyny'r stryd.

Yn ei dro, roedd Siryf Bob Clarke yn meddwl am ferch hardd y groser, am ei llygaid glas a'i gwallt hir, melyn.

Pan gyrhaeddodd y neuadd roedd y cyfarfod newydd ddechrau. Gwelodd fod llawer o ffermwyr wedi dod i dref y Graig Wen i gwyno am y sefyllfa beryglus yn yr ardal.

Roedd y maer yn eistedd y tu ôl i fwrdd mawr ar y llwyfan ac roedd Marsial Tate yn eistedd wrth ei ochr. Roedd y marsial yn hen ac yn methu dal grŵp o ladron oedd yn rhedeg yn wyllt trwy'r wlad.

"Mae Marsial Tate yn barod i ateb eich cwestiynau," meddai'r maer wrth y ffermwyr.

"Dim ond un cwestiwn sydd 'da ni," gwaeddodd un ohonyn nhw. "Pryd fyddwch chi'n dal Pedro Gonzalez a'i ddynion?"

Agorodd y marsial ei geg i siarad ond dechreuodd y ffermwyr i gyd weiddi.

"Beth rydych chi wedi ei wneud hyd yn hyn, Marsial?"

"Pwy fydd yn talu am y gwartheg rydyn ni wedi eu colli?"

"Pam dydych chi ddim yn mynd ar ôl Gonzalez gyda *posse*?"

Arhosodd y marsial iddyn nhw dawelu cyn protestio:

11

"Rydw i wedi gosod pris o ddeng mil o ddoleri ar ben Gonzalez. Dydw i ddim yn gallu gwneud mwy na hynny."

Gwelodd y ffermwyr Bob Clarke yn sefyll wrth y drws. Roedd pawb yn gwybod bod Pedro Gonzalez yn ofni Siryf Clarke.

"Siryf," medden nhw. "Mae'n rhaid i chi ein helpu ni. Mae'n rhaid i chi ddal Gonzalez a'i ddynion."

Cododd y maer o'i gadair.

"Rydw i wedi esbonio'r ffeithiau yn barod," meddai. "Does dim awdurdod 'da'r siryf y tu allan i'r Graig Wen. Mae'n ddrwg 'da fi, ond dyna'r sefyllfa."

Ddywedodd y ffermwyr ddim gair. Roedden nhw'n gwybod na fyddai Gonzalez yn mentro i mewn i'r dref tra byddai Bob Clarke yn siryf.

"Oes cwestiwn arall?" gofynnodd y maer. Roedd ei lais yn flinedig.

Dechreuodd y ffermwyr adael y neuadd gan gwyno ymhlith ei gilydd. Doedd y sefyllfa ddim wedi newid. Roedden nhw wedi gwastraffu eu hamser.

Cerddodd Bob Clarke at y llwyfan.

"Dydyn nhw ddim yn deall," cwynodd yr hen farsial. "Maen nhw'n gofyn am wyrthiau!"

"Peidiwch â phoeni," meddai Clarke. "Fe fydd Gonzalez yn gwneud camgymeriad cyn bo hir."

Clywon nhw sŵn ceffylau yn y stryd. Roedd y goets fawr yn cyrraedd. Aeth y tri dyn allan i'r stryd, lle roedd y goets wedi aros o flaen y salŵn.

Roedd y gyrrwr wedi neidio i lawr o'i sedd ac roedd e'n helpu'r teithwyr i ddod allan.

"Croeso, Pete," dywedodd Bob Clarke wrtho. "Oes newyddion 'da chi?"

Roedd wyneb y gyrrwr yn ddifrifol.

"Oes," meddai. "Newyddion drwg."

"Beth sy'n bod?"

"Mae Mellten wedi dianc."

"Mellten wedi dianc?"

"Ydy," meddai'r gyrrwr. "Ac maen nhw'n dweud ei fod e ar ei ffordd i'r Graig Wen . . . "

3.

Roedd y ddau leidr yn gwylio'r llwybr pan welon nhw'r cowboi yn y pellter.

"Mae rhywun yn dod," meddai un.

"Oes, rydw i'n gallu ei weld e," dywedodd y llall.

Aeth e i nôl ei reiffl, oedd yn gorwedd ar y llawr.

"Ewch ar unwaith i ddweud wrth Pedro," meddai. "Fe arhosa i yma."

Aeth Siôn Watt drwy'r bwlch oedd yn arwain i'r Graig Wen. Roedd y creigiau wrth ochr y llwybr yn uchel iawn. Doedd e ddim yn gallu gweld neb ond roedd e'n teimlo'n nerfus. Lle da oedd hwn i osod magl.

"Stopiwch!"

Trodd Siôn ei ben i'r chwith a gweld reiffl yn fflachio yn yr haul.

13

"Peidiwch â symud," gorchmynnodd llais arall. "Mae chwe reiffl wedi'u hanelu atoch chi."

Daeth dyn bach tywyll i sefyll ar y ffordd o flaen ceffyl y cowboi.

"Croeso," meddai. "Pedro Gonzalez ydw i."

Roedd pennaeth y lladron yn gwenu ond roedd ei lygaid yn llym.

"Beth ydy'ch enw chi?" gofynnodd.

"Siôn — Siôn Watt."

"O ble rydych chi'n dod?"

"O Phoenix."

Tra oedden nhw'n siarad daeth grŵp o ddynion o'r tu ôl i'r creigiau a sefyll o gwmpas y cowboi.

"Ble rydych chi'n mynd, Siôn?"

"I'r Graig Wen."

"Pam . . . Oes busnes 'da chi yn y dref yna?"

"Oes."

"Pa fath o fusnes?"

"Rydw i'n chwilio am ddyn o'r enw Clarke — Bob Clarke."

Dechreuodd Gonzalez feddwl yn gyflym. Roedd Clarke wedi bod yn ddirprwy yn Phoenix a nawr fe oedd siryf y Graig Wen.

"Felly ffrind Bob Clarke ydych chi?"

Chwarddodd Siôn Watt yn chwerw.

"Dim yn hollol," atebodd. "Rydw i'n mynd i'r Graig Wen i'w ladd e!"

Ymhen hanner awr roedd Siôn Watt a Pedro Gonzalez yn siarad fel hen ffrindiau. Adroddodd y cowboi ei hanes wrth y lladron a gwrandawon nhw

14

arno gyda diddordeb.

"Wel, rydych chi gyda ffrindiau nawr," meddai Gonzalez wrtho. "Fe wnawn ni'ch helpu chi i ladd y siryf."

Siglodd Siôn ei ben.

"Diolch ichi," meddai. "Ond mae'n rhaid i fi fynd i'r Graig Wen ar fy mhen fy hun. Rydw i'n mynd i ladd Clarke mewn brwydr deg."

Doedd dim ots gan y lleidr sut roedd Clarke yn cael ei ladd. Y peth pwysig oedd ei *fod* yn cael ei ladd.

"Mae *gringo* arall yn ein gwersyll ni," meddai wrth Siôn. "Jim Daniels ydy ei enw e, ac mae'n llofrudd proffesiynol. Roeddwn i'n mynd i dalu mil o ddoleri iddo am ladd Siryf Clarke. Rhaid ichi gwrdd â fe."

Slapiodd e'r llanc ar ei gefn.

"Rhaid ichi gysgu'r nos yn ein gwersyll ni," dywedodd. "Mae'n rhy hwyr ichi deithio i'r Graig Wen heno. Dewch gyda ni . . . "

Fore trannoeth cododd Siôn Watt yn gynnar. Aeth i ymolchi yn y nant ac wedyn daeth yn ôl i le roedd un o'r lladron wedi cynnau tân.

"*Buenos días, Señor.*"

Roedd y dyn yn dew. Roedd e'n berwi llond sosban o ddŵr ar y tân.

"Bore da," meddai Siôn wrtho.

"Eisteddwch i lawr, *Señor*. Fe fydd y coffi'n barod toc."

Roedd y dyn tew yn paratoi brecwast. Cogydd y

gwersyll oedd e. Tra oedd yn siarad â Siôn Watt daeth dyn arall at y tân: dyn tal, â mwstas hir.

"*Buenos días*, Señor Daniels," meddai'r cogydd yn barchus.

Atebodd Daniels ddim. Roedd e'n syllu ar y dieithryn.

"Chi sy'n mynd i ladd siryf y Graig Wen?" gofynnodd yn sydyn.

"Ie."

Cymerodd Siôn y coffi roedd y cogydd yn ei estyn iddo.

Gwenodd Jim Daniels yn oer.

"Dim ond bachgen ydych chi," sylwodd. "Faint o ddynion rydych chi wedi eu lladd?"

"Dau," meddai Siôn yn dawel.

"Dim ond dau? Rydw i wedi lladd ugain o leiaf."

Profodd Daniels y coffi a phoeri ar y llawr.

"Mae'r coffi 'ma yn wael," meddai.

Taflodd e'r coffi i'r tân. Aeth wyneb y cogydd yn wyn. Trodd Daniels yn ôl at y cowboi.

"Petawn am saethu'r cogydd 'ma," gofynnodd, "beth fyddech chi'n ei wneud?"

Rhoddodd Siôn ei gwpan i lawr.

"Eich rhwystro chi," meddai.

"Yn wir?"

Roedd y llofrudd yn syllu ar wyneb y llanc.

"Pam lai?" dywedodd Siôn. "Dydy cwpanaid o goffi gwael ddim yn werth bywyd dyn."

Chwarddodd Jim Daniels yn uchel.

"Mae digon o ysbryd 'da chi," meddai. "Ond peidiwch â mynd i'r Graig Wen. Fe fydd y siryf yn

16

rhy gyflym ichi."

"Efallai . . . "

Cyfeiriodd Daniels at ddau bolyn rhwng y nant a'r gwersyll.

"Ydych chi'n gweld y ddau bolyn yna?" gofynnodd.

"Ydw."

"Pan fydd y cogydd yn rhoi'r gair, saethwch chi at y polyn chwith. Fe fydda i'n cymryd y polyn arall. Cawn ni weld pwy fydd y cyntaf i wagio'i ddryll."

Rhoddodd y cogydd y gair a thynnodd Siôn Watt ei ddryll o'i wregys mewn fflach. Ond roedd Daniels yn fwy cyflym fyth. Roedd Siôn yn dal i saethu pan oedd dryll Daniels wedi tawelu.

"Ydych chi'n deall nawr?" meddai'r llofrudd. "Dydych chi ddim yn ddigon cyflym. Gadewch Bob Clarke i fi."

Roedd y saethu wedi deffro Pedro Gonzalez a'i ddynion. Aeth Gonzalez at y ddau bolyn i weld olion y bwledi.

"Dewch i weld, Daniels," meddai wrth y llofrudd. "Mae chwe thwll yn y polyn chwith, a dim ond pedwar yn y llall."

4.

Cyrhaeddodd Siôn Watt dref y Graig Wen am saith o'r gloch yr hwyr. Marchogodd yn araf drwy'r stryd fawr heibio i'r siopau bach, y salŵn a'r banc. Roedd y stryd bron yn wag ac roedd y siopau wedi cau yn barod.

Gwelodd y cowboi arwydd o flaen adeilad pren ar ben y stryd: *Stabl yr Hen Geffyl Gwyn*. Clymodd ei geffyl wrth bolyn o flaen y stabl ac aeth i mewn.

Roedd bachgen tua phymtheg oed yn glanhau llawr y stabl â brws hir.

"Ga i adael fy ngheffyl yma?" gofynnodd Siôn i'r bachgen.

Edrychodd y bachgen i fyny.

"Cewch, wrth gwrs. Mae digon o le 'da ni."

Daeth Siôn â'r ceffyl i mewn i'r stabl, a thynnodd y bachgen y cyfrwy oddi ar yr anifail.

"Rydw i'n chwilio am stafell am y nos," meddai Siôn.

"Fe fydd hynny'n hawdd," meddai'r llall. "Mae digon o stafelloedd uwchben y salŵn."

Siglodd y cowboi ei ben.

"Fe fydd y salŵn yn rhy swnllyd. Rydw i'n chwilio am stafell dawel."

Meddyliodd y bachgen am funud.

"Mae Miss Maria a'i thad yn cymryd lletywyr," meddai.

Cyfeiriodd â'i fys.

"Maen nhw'n byw yn y tŷ acw ar draws y stryd."

Daeth merch tua deunaw oed i agor drws y tŷ. Roedd gwallt du hir ganddi hi. Doedd Siôn Watt ddim wedi gweld merch mor hardd erioed.

"Es . . . esgusodwch fi," meddai. "Fe ddywedodd bachgen y stabl eich bod chi'n cymryd lletywyr."

"Ydyn," meddai'r ferch dan wenu. "Dewch i

18

mewn, os gwelwch yn dda."

Arweiniodd hi Siôn i gefn y tŷ a dangos stafell iddo fe. Doedd y stafell ddim yn fawr ond roedd hi'n lân a thaclus.

"Ydy hon yn iawn?" gofynnodd hi. "Os ydych chi'n chwilio am stafell fwy, fe fydd yn well ichi fynd i'r salŵn."

"Mae hi'n berffaith," atebodd y cowboi gan osod ei fag i lawr.

"Ydych chi wedi cael swper?"

"Nac ydw. Ga i swper yma?"

"Wel, mae cawl cyw iâr ar y stof."

Gwenodd Siôn arni hi.

"Fe wna i fwyta gyda chi, os ca i. Rydw i'n rhy flinedig i fynd allan heno."

Gosododd y ferch y llestri tra oedd y cowboi yn ymolchi yn ei stafell. Pan aeth e i mewn i'r parlwr roedd dyn yn eistedd wrth y bwrdd yn barod.

"Dyma fy nhad, Cabe Grant," meddai Maria wrth Siôn.

"Da gen i gwrdd â chi, Mr Grant."

Eisteddodd Siôn wrth y bwrdd a daeth Maria â'r bwyd iddyn nhw. Tra oedden nhw'n bwyta, dywedodd Cabe Grant fel y bu'n fwynwr aur am flynyddoedd, ond ei fod nawr wedi ymddeol. Roedd e wedi cael damwain a doedd ei iechyd ddim yn dda.

Siaradon nhw hefyd am ddynion y Gorllewin Gwyllt. Roedd Cabe Grant wedi cwrdd â Wyatt Earp a'i frodyr yn Tombstone, a Bat Masterson hefyd.

"Oes siryf yn y Graig Wen?" gofynnodd Siôn.

"Oes," atebodd y mwynwr. "Dyn ffein ydy e."

"Beth ydy ei enw e?"

"Bob Clarke. Ydych chi wedi clywed amdano fe?"

"Nac ydw. Dieithryn ydw i."

"Wel, roedd Clarke yn ddirprwy yn Phoenix cyn dod yma. Dyna le dysgodd e ddefnyddio dryll mor dda."

"Fe glywais i fod llofrudd o'r enw Jim Daniels yn crwydro'r ardal 'ma," dywedodd y cowboi.

Siglodd y mwynwr ei ben.

"Nac ydy, ond rydw i wedi clywed amdano fe. Mae e wedi lladd llawer o ddynion. Gobeithio na fydd dyn peryglus fel Daniels byth yn dod i'r Graig Wen."

Daeth Maria â'r coffi i mewn.

"Ydych chi eisiau codi'n gynnar yn y bore?" gofynnodd i Siôn.

"Nac ydw, rydw i eisiau gorffwys. Rydw i wedi bod yn teithio am dri diwrnod."

Eisteddodd y ferch gyferbyn â'r cowboi ifanc.

"Mae'n ddrwg 'da fi," meddai hi, "ond fe fydd y stryd fawr yn swnllyd yfory. Diwrnod marchnad ydy e."

Profodd Siôn ei goffi.

"Mae'r coffi yn flasus iawn," meddai, a gwenodd. "Ac roedd y cawl yn hyfryd."

Gwenodd y ferch yn ôl arno'n swil.

"Diolch."

Gorffennodd Siôn ei goffi a chododd o'r bwrdd.

"Os ydy'r dref am fod yn swnllyd bore fory, gwell i fi fynd i'r gwely'n gynnar," meddai. "Nos da."

20

"Nos da, Mr . . .," dywedodd Cabe Grant.

"Siôn ydy fy enw i."

"Nos dawch, Siôn," meddai Maria. "Cysgwch yn dawel."

5.

Deffrôdd Siôn Watt am naw o'r gloch. Pan glywodd Maria e'n symud yn ei stafell rhoddodd hi'r tegell ar y stof. A dweud y gwir roedd hi wedi bod yn meddwl am y dieithryn golygus drwy'r bore.

Daeth y cowboi i mewn i'r parlwr.

"Bore da, Maria."

"Bore da, Siôn. Gysgoch chi'n dda?"

"Do, yn dda iawn. Mae'r gwely'n gyfforddus."

"Mae dŵr ar y stof," meddai Maria. "Fe fydd e'n berwi toc."

Pan oedd Siôn wedi ymolchi ac eillio aeth e 'nôl i'r parlwr.

"Mae coffi yn y pot," gwaeddodd y ferch o'r gegin. "Fydd brecwast ddim yn hir."

Arllwysodd Siôn gwpanaid o goffi. Yna aeth i mewn i'r gegin lle roedd Maria yn paratoi bwyd iddo.

"Ble mae'ch tad?" gofynnodd.

"Mae e wedi mynd allan," esboniodd hi. "Mae'n mynd am dro bob bore."

Cwrddodd eu llygaid a chochodd y ferch dipyn.

"Ydych chi'n hoffi coginio, Maria?"

Doedd Siôn ddim wedi arfer siarad â merched

21

tlws fel Maria. Roedd e wedi colli dwy flynedd o'i fywyd yn y carchar.

"O, ydw," atebodd hi.

"Rydych chi'n coginio'n dda."

"Diolch."

Roedd y llanc yn chwilio am eiriau, ac roedd y ferch yn synnu pa mor swil oedd e.

"Rydyn ni eisiau adeiladu gwesty," dywedodd hi i dorri'r distawrwydd. "Fe fydd y rheilffordd yn dod i'r Graig Wen ymhen y flwyddyn. Fe fydd yn dod â llawer o bobl i'r dref, a bydd rhaid iddyn nhw gael lle i aros."

"Wel, pob lwc ichi," meddai Siôn. "Efallai y bydd eich coginio chi'n dod yn enwog drwy'r Gorllewin!"

Chwarddodd y ferch, ond yna edrychodd hi'n ddifrifol.

"Mae problem," meddai hi.

"Problem . . . Pa fath o broblem?"

"Mae criw o ladron yn rhedeg yn wyllt yn y wlad. Ydych chi wedi clywed am Pedro Gonzalez a'i ddynion?"

Siglodd y cowboi ei ben.

"Wel, os na fydd Marsial Tate yn dal Gonzalez cyn bo hir fydd cwmni'r rheilffordd ddim yn adeiladu gorsaf yma."

"Ydych chi'n siŵr?"

"Ydw," meddai Maria yn bendant. "Dydy cwmni'r rheilffordd ddim yn hoffi trafferth, a thrafferth ydy enw canol Pedro Gonzalez."

Tra oedd Siôn yn bwyta ei frecwast aeth Maria i lanhau ei stafell e. Pan ddaeth hi'n ôl roedd y cowboi yn gwisgo ei wregys.

"Rydw i'n mynd am dro i weld y farchnad," meddai wrthi.

"Arhoswch am funud," dywedodd y ferch. "Fe ddo i gyda chi. Mae'n rhaid i fi fynd i'r siopau."

Aeth hi'n gyflym i'w stafell i wisgo cot. Roedd hi'n edrych ymlaen at gerdded i fyny'r stryd fawr gyda'r cowboi golygus. Byddai ei ffrindiau hi'n eiddigeddus iawn.

Clywodd hi'r drws yn clepian ac edrychodd ar y cloc ar y wal. Oedd ei thad wedi dod adref yn gynnar? Gwisgodd hi'r got a mynd yn ôl i'r parlwr. Doedd neb yno.

"Siôn . . .?"

Dim ateb.

Aeth hi i stafell y cowboi. Roedd yn wag. Roedd e wedi mynd allan ar ei ben ei hun. Ond pam? Doedd hi ddim yn deall o gwbl. Roedd e wedi bod mor gyfeillgar. Beth roedd hi wedi ei ddweud . . .?

Roedd y stryd fawr yn brysur iawn. Roedd llawer o bobl a cheffylau a stondinau o flaen y siopau. Rhywle yn y pellter roedd gwartheg a defaid yn brefu.

Rhedodd grŵp o fechgyn ar draws y ffordd. Doedd dim ysgol ar ddydd marchnad ac roedden nhw allan yn cael hwyl. Roedd dyn yn eistedd ar risiau'r banc yn canu ffidil ac roedd pobl yn taflu arian i mewn i'r het wrth ei ochr.

Gwenodd Siôn Watt yn hapus. Bellach roedd ef hefyd yn rhydd fel y bechgyn yna, rhydd i grwydro strydoedd y Graig Wen, edrych ar y siopau, a gwrando ar y bobl.

Edrychodd drwy ffenestr siop y groser. Roedd merch â gwallt melyn yn gweini y tu ôl i'r cownter. Gwelodd hi'r dieithryn yn syllu drwy'r ffenestr a gwenodd arno.

Yna meddyliodd e am Maria. Roedd hi'n teimlo'n grac, mwy na thebyg, ond doedd dim bai arno fe. Roedd e wedi dod i'r Graig Wen am reswm arbennig. Nawr roedd Maria yn broblem iddo, achos roedd hi mor hardd. Doedd e ddim eisiau ei phoeni hi.

Siglodd ei ben yn drist. Roedd ei fywyd yn gymhleth iawn.

Aeth ymlaen drwy'r stondinau heb brynu dim byd. Doedd neb yn sylwi arno; roedd cymaint o bobl yn y stryd. Yn Phoenix roedd pawb yn ei nabod e, ond yma roedd e'n gallu crwydro'r dref heb drafferth.

Roedd sŵn piano yn dod o'r salŵn. Dringodd Siôn y grisiau a mynd i mewn. Roedd y bar yn llawn. Prynodd e chwisgi ac aeth i eistedd wrth fwrdd ger y drws. Roedd hen ŵr yn eistedd wrth y bwrdd yn barod; doedd e ddim wedi eillio am ddyddiau ac roedd ei lygaid yn goch. Roedd y gwydryn o'i flaen yn wag.

"Dydych chi ddim yn yfed?" gofynnodd Siôn iddo.

Gwenodd yr hen ŵr yn wan.

"Ydw, rydw i'n yfed," atebodd. "Ond dydw i ddim yn gallu yfed heb arian."

Tynnodd y cowboi ddoler o'i boced.

"Prynwch ddiod," meddai. "Dydw i ddim yn hoffi yfed ar fy mhen fy hun."

Tra oedd yr hen ŵr yn aros wrth y cownter agorodd y drws a daeth dau ddyn i mewn. Roedd un ohonyn nhw'n giwsgo siwt lwyd ac roedd y llall yn gwisgo dillad cowboi, ond gyda seren arian ar ei grys.

"Hylo, Mr Maer," gwaeddodd y barman. "Hylo, Siryf."

Daeth â dwy botel a gwydrau iddyn nhw.

"Mae'r cwrw yn oer, Mr Maer," dywedodd gan agor y poteli.

Edrychodd y siryf ar yr hen ŵr oedd yn sefyll wrth y cownter.

"Ydych chi eisiau rhywbeth i yfed, Tom?" gofynnodd.

Dangosodd yr hen ŵr ddoler Siôn Watt iddo.

"Diolch, Siryf, ond mae arian 'da fi."

Profodd y maer ei gwrw, yna dywedodd yn isel wrth y siryf:

"Pwy ydy'r llanc yna, Bob? Mae e'n syllu arnoch chi."

Trodd Bob Clarke at y bwrdd lle roedd Siôn yn eistedd. Roedd Siôn yn dal i syllu ar y siryf, felly gofynnodd Clarke:

"Beth sy? . . . Dydych chi ddim wedi gweld siryf o'r blaen?"

"Ydw," atebodd y cowboi mewn llais miniog. "Gadewch lonydd i fi!"

Aeth y stafell yn ddistaw.

25

"Ydych chi'n gwybod pwy ydw i?" gofynnodd Clarke.

Poerodd Siôn Watt ar y llawr.

"Ydw," meddai. "Bob Clarke ydych chi."

Gosododd Clarke ei wydryn ar y cownter a cherddodd at y bwrdd.

"Rydw i'n cofio nawr," meddai. "Chi ydy Mellten."

"Ie, fi ydi Siôn Watt," meddai Siôn gan godi ar ei draed. "Rydw i newydd dreulio dwy flynedd yn y carchar, diolch i chi!"

"Rydych chi wedi dianc," dywedodd Clarke. "Rhowch eich gwn i fi."

"Na wnaf."

Aeth Bob Clarke am ei ddryll ond roedd e'n rhy araf. Saethodd Mellten unwaith a syrthiodd y siryf i'r llawr.

Trodd Siôn at y dynion o'i gwmpas.

"Fe welsoch chi i gyd beth ddigwyddodd," meddai. "Fe aeth e am ei ddryll."

Yna cerddodd yn araf o'r salŵn.

6.

Ar ôl y saethu yn y salŵn aeth Siôn Watt yn syth i'r llety, lle treuliodd weddill y bore yn ei stafell. Am chwarter i ddeuddeg clywodd ddrws y ffrynt yn agor. Roedd Maria wedi dod yn ôl o'r farchnad.

Aeth y ferch i mewn i'r parlwr, lle roedd ei thad yn darllen papur newydd.

"Ydy Siôn wedi dod yn ôl?" gofynnodd hi.

Roedd hi'n edrych yn nerfus iawn.

"Ydy," meddai Cabe Grant heb godi ei lygaid o'r papur newydd. "Fe agorais i'r drws iddo fe."

"Mae Bob Clarke wedi cael ei saethu."

"Bob Clarke?"

Syrthiodd y papur newydd i'r llawr.

"Ie, yn y salŵn."

"Pryd?"

"Y bore 'ma. Fe glywais i'r newyddion yn y farchnad."

"Wyt ti'n gwybod pwy saethodd e?"

Petrusodd y ferch am eiliad.

"Dieithryn o'r enw Mellten, ond Siôn Watt ydy ei enw iawn a dyn ifanc ydy e."

"Siôn . . ." Meddyliodd yr hen fwynwr am foment. "Maria, wyt ti'n credu mai . . .?"

Eisteddodd y ferch yn drwm mewn cadair.

"Wn i ddim, Dad," meddai hi. "Ond fe fyddai hynny yn hunllef."

Clywodd Siôn rywun yn curo ar ddrws ei stafell.

"Dewch i mewn."

Agorodd y drws yn eang a gwelodd e Cabe Grant yn sefyll yno.

"Mae Siryf Clarke wedi cael ei saethu," dywedodd Cabe.

"Rydw i'n gwybod."

Petrusodd yr hen ŵr cyn siarad.

"Ydych chi'n nabod Siôn Watt?" gofynnodd.

"Siôn Watt ydw i."

"Chi saethodd Bob Clarke?"

"Ie, fi saethodd e."

Aeth wyneb Cabe Grant yn goch.

"Wel, Mr Watt," meddai. "Does dim lle i chi yn y tŷ 'ma. Mae pum munud 'da chi i glirio allan!"

"Ga i siarad â Maria am funud?"

Siglodd Cabe ei ben.

"Dydy fy merch ddim eisiau eich gweld chi eto," meddai'n bendant.

Petrusodd perchennog y salŵn am eiliad cyn rhoi stafell i Siôn Watt, ond pan welodd fod Mellten yn benderfynol a bod dryll ganddo, dringodd y grisiau a dangos y stafell iddo.

Treuliodd Siôn y prynhawn yn gorwedd ar y gwely ac edrych trwy'r ffenestr. Yn y cyfamser roedd Bob Clarke wedi cael ei symud i dŷ'r maer. Tra oedd y meddyg yn ceisio achub bywyd y siryf, casglodd tyrfa o bobl o flaen y tŷ gan ddisgwyl am newyddion.

Am saith o'r gloch aeth Siôn i lawr i'r salŵn. Roedd y bar bron yn wag ond gwelodd e'r hen feddwyn yn eistedd wrth yr un bwrdd. Prynodd ddwy botel o gwrw a mynd â nhw i'r bwrdd.

"Hylo," meddai wrth yr hen ŵr.

Cododd y dyn ei ben.

"Felly dydych chi ddim wedi gadael y dref?" meddai.

Arllwysodd y cowboi wydraid iddo.

"Nac ydw."

"Rydw i'n synnu eich gweld chi'n dal yma. Mae

pawb yn synnu," meddai'r dyn gan dderbyn y ddiod.

"Fe redais i ffwrdd y tro diwetha," esboniodd Siôn. "Ac fe ddalion nhw fi."

"Wel, byddwch yn ofalus. Roedd Bob Clarke yn boblogaidd yn y Graig Wen."

Gosododd Siôn ei wydryn ar y bwrdd.

"Roedd . . . Felly mae e wedi marw?"

"Ydy, hanner awr yn ôl."

Ochneidiodd Siôn yn ddwfn.

"Nid arna i roedd y bai," meddai.

"Rydw i'n cytuno â chi," sylwodd yr hen ŵr. "Fe oedd y cyntaf i dynnu ei ddryll. Ond mae'n drueni, achos dyn ffein oedd Bob Clarke."

Gorffennodd y cowboi ei gwrw a cherdded allan o'r salŵn. Roedd yr haul wedi machlud ac roedd y dref yn dawel — yn rhy dawel.

Penderfynodd fynd am dro heibio i'r stabl lle roedd e wedi gadael ei geffyl. Wrth gerdded, edrychodd i fyny ar y sêr oedd yn dechrau ymddangos yn yr awyr glir.

CRAC . . .!

Clywodd e'r ergyd a rhedodd i guddio y tu ôl i wagen wrth ochr y ffordd. Edrychodd o'i gwmpas a gweld hen ysgubor ar ochr arall y stryd. Rhuthrodd dros y ffordd a chyrraedd cefn yr ysgubor yn ddiogel.

Roedd drws cefn yr adeilad ar gau ond roedd Siôn yn siŵr y byddai'r saethwr yn ceisio dianc trwyddo. Arhosodd yno heb symud, bron heb anadlu am bum munud. Yna agorodd y drws yn

29

araf. Tynnodd Siôn ei ddryll a disgwyl i'r saethwr ymddangos.

"Sefwch!" galwodd mewn llais miniog. "Breich-iau i fyny!"

Gwthiodd ei ddryll yn galed i gefn y saethwr.

"Aaah . . ."

"Trowch rownd!"

Yna cafodd e sioc mawr. Merch oedd yn sefyll o'i flaen — merch hardd â gwallt melyn hir. Roedd Siôn wedi ei gweld hi o'r blaen, trwy ffenestr siop y groser.

Estynnodd ei law a chymryd y dryll oddi arni hi.

"Chi saethodd arna i gynnau fach?" gofynnodd.

"Ie."

Roedd llygaid glas y ferch yn disgleirio â golau rhyfedd.

"Pam?" meddai'r cowboi. "Dydych chi ddim yn fy nabod i."

"Roeddwn i'n caru Bob Clarke. Dyna pam."

Rhoddodd Siôn ddryll y ferch yn ei wregys. Dyma broblem newydd iddo; doedd y ferch ddim yn deall y sefyllfa.

"Gwrandewch," meddai wrthi hi. "Anghofiwch bopeth. Ewch adref. Oes teulu 'da chi?"

Roedd y ferch yn dal i syllu arno.

"Fydda i byth yn anghofio," addawodd hi. "Mae'n rhaid i fi eich lladd chi."

Chwiliodd Siôn am ateb i'w broblem.

"Ydych chi'n gwybod ble mae'r maer yn byw?" gofynnodd o'r diwedd.

"Ydw."

"Wel, ewch i siarad â fe. Fe fydd e'n gallu esbonio."

"Esbonio beth?"

"Ewch i'w weld e," meddai Siôn eto. Doedd e ddim eisiau dweud gormod.

Symudodd y ferch ddim.

"Ydych chi'n mynd?"

"Nac ydw; nid i dŷ'r maer. Rydw i'n mynd i nôl gwn arall."

Gafaelodd Siôn ym mraich y ferch.

"Awn i weld y maer gyda'n gilydd," meddai wrthi. "Rydw i wedi alaru ar geisio esbonio pethau i chi."

Roedd y maer yn byw mewn tŷ mawr ar gyrion y dref ar y ffordd i'r mynyddoedd. Curodd Siôn dair gwaith ar y drws.

"Pwy sy yno?" gwaeddodd llais o'r tu mewn.

"Siôn Watt . . . Mellten."

Agorodd y drws yn syth.

"Beth sy'n bod?" gofynnodd y maer. "Trafferth?"

"Rydw i wedi dod â rhywun gyda fi."

"Beth? Rydych chi'n ffŵl. Pwy sy gyda chi?"

Gwthiodd Siôn y ferch o'i flaen.

"Oh, Alis — Alis Jones," meddai'r maer yn syn. "Doeddwn i ddim yn gwybod. Croeso. Dewch i mewn."

Dilynon nhw'r maer i mewn i stafell fawr lle roedd Marsial Tate a dau ddirprwy yn eistedd o gwmpas bwrdd yn chwarae cardiau. Codon nhw i

31

gyd ar eu traed wrth weld Alis yn dod i mewn.

"Hylo, Miss Alis," dywedodd y marsial. "Hylo, Siôn."

Cafodd y ferch sioc o glywed y marsial yn siarad mor gyfeillgar â llofrudd Bob Clarke.

"Saethodd hi ata i yn y stryd," meddai Mellten. "Mae hi wedi penderfynu fy lladd i."

"Rydw i'n gweld," meddai Tate yn ddifrifol.

"Dydw i ddim yn deall," gwaeddodd Alis yn sydyn. "Mae'r llofrudd 'ma wedi lladd Bob, a dydych chi ddim yn gwneud dim byd."

Edrychodd Tate ar y dynion o'i gwmpas. Ddywedon nhw ddim gair. Trodd e at Alis.

"Wnaeth Siôn Watt ddim lladd Bob Clarke," meddai'n dawel. "Mae Bob yn ddiogel ac yn iach. Rydyn ni'n paratoi magl i Pedro Gonzalez. Yfory fe fyddwn ni'n claddu arch wag ym mynwent y Graig Wen!"

7.

Brynhawn trannoeth daeth grŵp o ddynion Pedro Gonzalez yn ôl i'w gwersyll dan chwerthin a gweiddi. Roedd Gonzalez yn disgwyl amdanyn nhw ger ei babell ac roedd y llofrudd proffesiynol Jim Daniels yn sefyll wrth ei ochr.

"Beth sy'n bod?" gofynnodd Gonzalez i'r lladron. "Ydych chi wedi meddwi?"

"Nac ydyn," atebon nhw. "Rydyn ni'n dod â newyddion da ichi, Pedro."

"Newyddion? . . . Pa newyddion?"

Disgynnon nhw o'u ceffylau.

"Mae eich hen ffrind Siryf Clarke wedi marw."

"Clarke wedi marw? Ydych chi'n siŵr?"

"Ydyn. Mae'r newyddion wedi cyrraedd y pentrefi bach. Fe gladdon nhw gorff Clarke y bore 'ma."

Doedd eu pennaeth ddim yn gallu credu ei glustiau.

"Sut digwyddodd e?" gofynnodd.

"Diwrnod marchnad oedd e ddoe yn y Graig Wen, Pedro," meddai un o'r dynion. "Fe gyrhaeddodd Mellten y dref echdoe a chymryd stafell mewn llety. Bore ddoe aeth e i'r salŵn, lle cwrddodd â'r siryf. Yn lle cuddio fe siaradodd â Clarke, oedd yn yfed yn y salŵn gyda'r maer. Tynnodd Clarke ei ddryll i restio Mellten, ond doedd e ddim yn ddigon cyflym. Saethodd Mellten gyntaf a syrthiodd Clarke yn y fan a'r lle. Cafodd Clarke ei symud i dŷ'r maer i gael triniaeth, ond fe fu farw yn y prynhawn."

Edrychodd Gonzalez ar Jim Daniels.

"Beth rydych chi'n feddwl?" gofynnodd.

Poerodd y llofrudd yn y llwch.

"Roedd e'n lwcus," meddai.

Chwarddodd Gonzalez yn uchel.

"Rydyn ni i gyd yn lwcus," meddai. "Fe awn ni i'r Graig Wen heno i ddathlu marwolaeth y siryf!"

Pan welodd y cwsmeriaid Gonzalez a'i ddynion yn dod trwy ddrysau'r salŵn dechreuon nhw lowcio eu diod ac ymadael.

Cododd Gonzalez bedair potelaid o chwisgi ond roddodd e ddim arian ar y cownter.

"Mae Daniels yn pwdu yn y gwersyll," meddai wrth y lleill, "achos mae e wedi colli mil o ddoleri."

Chwarddodd pawb yn uchel, ond fyddai neb ohonyn nhw wedi chwerthin petai Jim Daniels yno.

Roedd chwech o ladron yn y salŵn gyda Gonzalez, a gwagion nhw'r pedair potelaid mewn chwarter awr.

Gwaeddodd Gonzalez ar y barman.

"Rhowch gwrw inni," gorchmynnodd. "Mae syched arnon ni, ac mae'r chwisgi 'ma yn ofnadwy."

Tra oedd y barman yn mynd i nôl y cwrw cymerodd Gonzalez botel wag a'i thaflu at y drych mawr y tu ôl i'r cownter. Torrodd y drych yn swnllyd.

"Barman . . ."

"Ie . . ." Roedd wyneb y dyn yn wyn.

"Ie, *Syr!*" gwaeddodd pennaeth y lladron.

"Ie, Syr."

"Ydych chi'n nabod Mellten, yr un a laddodd y siryf?"

"Ydw, Syr."

"Ydych chi'n gwybod ble mae e? Mae rhaid i fi ddiolch iddo fe."

"Mae . . . mae e lan lofft yn ei stafell."

"Mellten *yma*?"

"Ie. Fe symudodd i mewn ddoe."

"Beth ydy rhif y stafell?"

"Saith, Syr."

Trodd Gonzalez at ei ddynion.

"Rydw i'n mynd lan lofft i weld Siôn Watt," meddai. "Arhoswch yma."

Dringodd y grisiau a chwilio am stafell saith. Roedd e'n teimlo'n hapus iawn. Byddai'n cynnig arian i Siôn Watt i ymuno â nhw. Bydden nhw'n rheoli'r Graig Wen.

Curodd ar y drws.

"Pwy sy yno?"

"Fi . . . Pedro Gonzalez."

"Dewch i mewn."

Roedd y stafell yn dywyll ond gwelodd e rywun yn gorwedd ar y gwely. Roedd lamp yn sefyll ar fwrdd ger y drws ond roedd y golau yn wan.

"Trowch y lamp i fyny," meddai'r dyn ar y gwely.

Trodd Gonzalez allwedd y lamp a daeth y stafell yn olau.

"Croeso, Pedro. Roeddwn i'n eich disgwyl chi."

Syllodd y lleidr ar y dyn.

"Siryf Clarke!"

"Ie."

Roedd dryll y siryf yn anelu at fola Gonzalez.

"Mae'n dda gen i gwrdd â chi, Pedro. Roedd yn hen bryd."

Dechreuodd y lleidr chwysu.

"Ble mae Mellten?" gofynnodd. "Ydych chi wedi ei ladd e?"

"Nac ydw. Mae e'n disgwyl gyda Marsial Tate a'r lleill yn y stryd o flaen y salŵn. Rydych chi wedi'ch dal mewn magl."

Aeth Clarke at y ffenestr ac agor y llenni. Wedyn

gwthiodd e Gonzalez allan o'r stafell tua'r grisiau. Safon nhw ar ben y grisiau gan edrych i lawr ar y lladron a oedd yn yfed wrth y bar.

"*Amigos* . . .," gwaeddodd Gonzalez.

Edrychon nhw i gyd i fyny a gweld y siryf yn sefyll y tu ôl i'w pennaeth.

"Taflwch eich gynnau i lawr," erfyniodd Gonzalez. "Maen nhw wedi'n twyllo ni."

Agorodd drysau'r salŵn a daeth Siôn a'r marsial i mewn. Aeth un o'r lladron am ei ddryll ond fflachiodd gwn Siôn a syrthiodd y lleidr i'r llawr gan afael yn ei goes.

Teimlodd Gonzalez ddryll y siryf yn gwthio i mewn i'w gefn.

"Stopiwch!" gwaeddodd. "Taflwch eich gynnau i lawr. Does dim siawns 'da ni."

Aeth Marsial Tate a'i ddirprwyon o gwmpas y stafell gan gipio gynnau'r lladron. Daeth Bob Clarke a Gonzalez i lawr y grisiau, ac edrychodd y siryf ar y poteli gwag ar y cownter.

"Gobeithio eich bod chi wedi mwynhau'r chwisgi yna," meddai wrth y lleidr. "Fydd dim chwisgi yn y carchar!"

8.

Roedd Siôn Watt yn bwyta brecwast yn ei stafell pan ddaeth Bob Clarke i'w weld.

"Eisteddwch i lawr, Siryf," dywedodd y cowboi. "Coffi?"

"Dim diolch," meddai Clarke gan dynnu ei het. "Roeddwn i eisiau dweud diolch am neithiwr."

"Does dim angen," atebodd Siôn. "Fe helpais i chi i ddal Gonzalez er mwyn ennill pardwn gan y llywodraethwr."

"Rydw i'n gwybod hynny," meddai'r siryf. "Ond roedd eich help yn werthfawr i fi."

"Ac mae'n werthfawr i fi fod yn rhydd," atebodd Siôn yn ddifrifol. "Gyda llaw, pryd bydd y pardwn yn cyrraedd y Graig Wen?"

"Mae Marsial Tate a'i ddirprwyon wedi ymadael yn barod, Siôn. Fe fyddan nhw'n dod yn ôl gyda'r barnwr erbyn y penwythnos. Fe fydd Gonzalez a'i ddynion yn cael eu dodi ar brawf yn llys y Graig Wen. Yn y cyfamser maen nhw yn y gell yn fy swyddfa i."

"A'r pardwn?"

"Fe fydd y barnwr yn dod â'r pardwn i chi. Rydw i wedi trefnu popeth."

Gwthiodd Siôn ei blât i ffwrdd. Doedd e ddim wedi gorffen ei frecwast.

"Beth sy'n bod?" gofynnodd Clarke. "Dydych chi ddim yn edrych yn hapus."

"Rydw i'n dal i feddwl am Jim Daniels," esboniodd y cowboi. "Tybed pam ddaeth e ddim i'r Graig Wen neithiwr gyda'r lleill?"

"Wn i ddim," meddai Clarke. "Mae e siŵr o fod filltiroedd i ffwrdd erbyn hyn."

"A phetai e'n dod yma . . .?"

"Peidiwch â phoeni, Siôn. Fi ydy'r siryf yn y Graig Wen, nid chi."

Ie, chi ydy'r siryf, meddyliodd Siôn, ond dydych chi ddim wedi gweld Daniels yn tynnu gwn.

Cododd y siryf ar ei draed.

"Peidiwch â mynd allan yn rhy aml, Siôn," meddai. "Dydw i ddim eisiau ichi gael trafferth gyda neb cyn i'r pardwn gyrraedd."

"Rydw i'n deall," meddai Siôn yn dawel. "Gyda llaw, sut mae'ch ffrind Alis?"

"Alis? Mae hi'n iawn."

Gwenodd Siôn am y tro cyntaf ac aeth wyneb y siryf yn goch.

"Merch ffein ydy hi," sylwodd y cowboi.

"Ydy."

Curodd rhywun ar y drws ac aeth Clarke i'w agor.

"O, hylo Maria. Dewch i mewn."

Tro Bob Clarke oedd e i wenu nawr, a chododd Siôn o'i gadair yn gyflym.

"Mae'n rhaid i fi fynd," meddai'r siryf gyda winc. "Pob hwyl ichi, Siôn, ac i chi, Maria."

Caeodd y drws y tu ôl iddo. Edrychodd Siôn a Maria ar ei gilydd mewn distawrwydd am funud.

"Eis . . . eisteddwch i lawr, Maria."

Dewisodd y ferch gadair wrth y ffenestr.

"Rydw i wedi dod i ymddiheuro, Siôn. Rydyn ni wedi bod yn ofnadwy wrthych chi."

Arllwysodd Siôn gwpanaid o goffi iddi.

"Wnaethoch chi ddim byd o'i le," meddai. "Doeddech chi ddim yn gwybod mai ymladd ffug oedd yr ymladd rhwng y siryf a fi."

Cymerodd y ferch y coffi.

"Diolch. Felly fuoch chi ddim yn y carchar?"

Gwenodd Siôn yn chwerw.

"O, do. Fe laddais i ddau ddyn a ymosododd arna i. Roedd y ddedfryd yn galed iawn: pum mlynedd yn y carchar. Doedd Bob Clarke ddim yn cytuno â'r ddedfryd yna. Felly, ar ôl i fi wneud dwy flynedd o lafur caled, siaradodd Clarke â'r llywodraethwr a chynnig cynllun iddo fe, i ddal Pedro Gonzalez ac ennill pardwn i fi."

"Felly rydych chi'n rhydd, Siôn."

"Wel, mae'n rhaid i fi ddisgwyl nes i'r barnwr ddod â'r pardwn. Wedyn fe fydda i'n rhydd."

"Beth wnewch chi ar ôl hynny?"

"Wn i ddim. Chwilio am waith, siŵr o fod."

"Wel, dewch i'n gweld ni, Siôn. Peidiwch ag anghofio."

"Diolch, Maria. Wna i ddim anghofio." Gwenodd ar y ferch. "A phan ddaw'r pardwn fe ddathlwn ni'r achlysur gyda'n gilydd."

Wrth i Maria gyrraedd adref ar ôl siopa yn y stryd fawr dywedodd ei thad Cabe Grant wrthi:

"Mae lletywr newydd wedi cymryd y stafell wag, Maria. Mae e'n gorffwys ar hyn o bryd ond fe fydd e'n bwyta gyda ni."

Arhosodd y llofrudd Jim Daniels yn ei stafell nes i Maria ei alw am ginio.

"Felly chi ydy Maria," dywedodd wrth y ferch. "Mae eich tad wedi sôn amdanoch chi. Mae'n dda gen i gwrdd â chi. Benjamin ydy fy enw i — Joe Benjamin."

39

9.

Er bod y tywydd yn braf ni fentrodd Jim Daniels allan ar ôl cinio. Tra oedd Maria yn golchi'r llestri arhosodd y llofrudd yn y parlwr gan siarad â Cabe Grant.

Wrth gwrs, roedd yr hen fwynwr wrth ei fodd yn adrodd digwyddiadau diweddar y Graig Wen wrth y lletywr newydd.

"Pan ddaeth Siôn Watt yma yn chwilio am stafell," meddai Cabe, "doedden ni ddim yn gwybod mai Mellten oedd e. Wrth gwrs, pan glywais i fod Siôn wedi saethu Bob Clarke fe anfonais i fe i ffwrdd. Doeddwn i ddim eisiau llofrudd yn byw yn fy nhŷ i."

"Mae hynny'n naturiol, Cabe," meddai Jim Daniels â gwên.

"Ond doedd Siôn ddim wedi lladd y siryf. Dim ond tric oedd e i ddal y lleidr Pedro Gonzalez."

"Wel, wel," sylwodd Daniels. "Ac fe lwyddodd y tric?"

"Do, yn berffaith. Fe ddaeth Gonzalez a'i ddynion yma a dechrau ymddwyn fel petai'r Graig Wen yn perthyn iddyn nhw. Ond roedd y siryf a'r marsial yn disgwyl amdanyn nhw, a Mellten hefyd."

"Gafodd Gonzalez ei ladd?" gofynnodd Daniels.

"Naddo. Mae e yn y carchar, a'r lleill gyda fe. Mae'r marsial a'r dirprwyon wedi mynd i Phoenix i nôl barnwr."

"Pwy sy'n gofalu am Gonzalez nawr?"

"Bob Clarke, y siryf."

"A beth am Siôn Watt . . . Ydy e wedi gadael y dref?"

Siglodd Cabe ei ben.

"Nac ydy. Mae e'n aros mewn stafell uwchben y salŵn. Fe aeth Maria i ymddiheuro wrtho fe. Mae hi'n hoff iawn o Siôn. Chysgodd hi ddim y noson ar ôl y saethu rhyngddo fe a'r siryf. A dweud y gwir, Joe, fe hoffwn i weld Maria a Siôn yn . . . O, Maria. Ydych chi wedi gorffen yn y gegin?"

"Ydw, Dad, ond rydw i'n mynd i lanhau'r stafell-oedd."

Gwenodd Daniels ar y ferch.

"Roedden ni'n siarad am Siôn Watt, yr un mae pobl yn ei alw'n Mellten," meddai. "Pa fath o ddyn ydy e, Maria?"

Cochodd y ferch.

"Siôn . . .? Mae, mae e'n eitha tal, ac mae e'n . . ."

Doedd hi ddim yn gallu mynd ymlaen. Doedd hi ddim eisiau dweud ei theimladau wrth y dieithryn.

"Os ydych chi eisiau cwrdd â fe, ewch i'r salŵn, Joe," meddai ei thad yn gyflym.

"Dyna syniad da," cytunodd Daniels. "Ond yn gyntaf fe a i i orffwys yn fy stafell. Fe ga i fynd i'r salŵn heno."

Roedd grŵp o fechgyn yn chwarae y tu allan i ffenestr Jim Daniels. Am saith o'r gloch cymerodd y llofrudd bensil a phapur ac ysgrifennu nodyn i Pedro Gonzalez:

"Pedro, fe fyddwch chi allan o'r carchar erbyn hanner dydd yfory. Y pris: pum mil o ddoleri."

Agorodd y ffenestr a galw ar y bachgen hynaf. "Dere 'ma."

Daeth y bachgen at y ffenestr.

"Wyt ti eisiau ennill doler?"

Disgleiriodd llygaid y bachgen.

"Am beth?" gofynnodd.

Estynnodd Daniels y papur iddo.

"Pan ddaw hi'n nos," meddai, "dos i swyddfa'r siryf a thaflu'r papur 'ma trwy farrau ffenestr y gell lle mae'n cadw'r carcharorion."

Derbyniodd y bachgen y papur.

"Paid â gadael i'r siryf dy weld di," meddai Daniels. "Yfory fe fydda i'n rhoi pum doler arall iti."

Am ddeg o'r gloch aeth Daniels allan o'r llety. Roedd y stryd yn dawel ond roedd e'n gallu clywed miwsig yn dod o'r salŵn ar ben arall y stryd.

Dilynodd e sŵn y piano i fyny'r stryd. Wrth gerdded roedd e'n edrych o'i gwmpas trwy'r amser. Er bod y stryd yn wag roedd Daniels yn syllu ar bob cysgod fel petai gelyn yn ymguddio yn y tywyllwch.

Dringodd Daniels risiau'r salŵn a mynd trwy'r drysau. Roedd y stafell yn llawn o bobl yn yfed a chwarae cardiau. Cerddodd Daniels at y bar a gofyn am wydraid o gwrw oer.

Roedd yr hen feddwyn yn sefyll wrth y bar hefyd. Gwenodd ar y llofrudd.

"Beth am ichi brynu diod i hen ŵr?" meddai.

Edrychodd Daniels yn araf o gwmpas y stafell, wedyn trodd ei ben a syllu ar yr hen ŵr.

"Ydych chi'n gwybod pwy ydw i?" gofynnodd.

"Nac ydw."

"Wel, Jim Daniels ydy fy enw i. Efallai eich bod chi wedi clywed amdana i."

Meddyliodd yr hen ŵr am foment.

"Rydw i wedi clywed am lofrudd proffesiynol o'r enw Jim Daniels," meddai.

"Dyna chi," meddai Daniels. "Ydych chi eisiau diod?"

"Ydw."

Cododd Daniels ei wydryn a thaflu'r cwrw yn wyneb yr hen ŵr. Aeth y stafell yn ddistaw.

"Diolch," meddai'r hen feddwyn yn dawel gan sychu ei wyneb.

"Croeso. Nawr baglwch hi!"

Arhosodd yr hen ŵr am eiliad gan edrych ar y llofrudd cyn troi ei gefn a cherdded allan o'r salŵn.

"Barman!" gwaeddodd Daniels. "Cwrw arall, ar unwaith."

Brysiodd y barman i arllwys y cwrw iddo.

Ymhen deng munud daeth Siryf Bob Clarke trwy'r drysau. Aeth yn syth at y bar lle roedd y llofrudd yn disgwyl amdano.

"Chi ydy Jim Daniels?" gofynnodd Clarke.

"Ie, Daniels ydw i."

Cododd y llofrudd y gwydryn i'w wefusau. Roedd yr hen ddyn wedi mynd i gwyno wrth y siryf, fel roedd Daniels wedi ei gynllunio.

"Ydych chi'n bwriadu aros yn y dref am amser hir, Daniels?"

Edrychodd Daniels o gwmpas y stafell a gwenodd

yn oer.

"Nac ydw, Siryf," atebodd. "Mae pobl y Graig Wen yn rhy hyll. Rydw i'n mynd i gael cwrw arall, wedyn fe fydda i'n ymadael."

"Iawn," meddai Clarke. "Mae chwarter awr 'da chi. Dydw i ddim eisiau eich gweld chi eto."

Trodd y siryf a cherdded i ffwrdd. Cyn iddo gyrraedd y drws syrthiodd y gwydryn o law Jim Daniels a thorri ar y llawr gyda chlec uchel.

Roedd y tric yn hen ond twyllodd y siryf yn llwyr. Trodd e'n ôl a saethodd Daniels ef heb rybudd. Syrthiodd Clarke ar y llawr gyda bwled yn ei fola.

"Nawr cofiwch," meddai'r llofrudd wrth y dynion yn y bar. "Dydy Jim Daniels erioed wedi saethu dyn yn ei gefn!"

10.

Aethon nhw â'r siryf i dŷ'r maer. Daeth y meddyg ar unwaith a daeth Alis Jones hefyd pan glywodd am y saethu.

Treuliodd y meddyg awr ar ei ben ei hun gyda Bob Clarke cyn dod yn ôl i'r parlwr lle roedd y maer ac Alis yn disgwyl yn bryderus.

"Nid bwled ffug oedd hi y tro hwn," sylwodd y meddyg yn sych gan gau ei fag lledr.

Roedd wyneb Alis Jones yn wyn.

"Sut mae e?" gofynnodd i'r meddyg. "Ga i ei weld e?"

Siglodd y meddyg ei ben.

44

"Gadewch iddo gysgu," dywedodd. "Mae'n rhaid iddo fe orffwys."

"Ydych chi wedi tynnu'r fwled allan?" gofynnodd y maer.

"Doedd dim angen," atebodd y meddyg. "Fe aeth y fwled drwy'r cnawd ac allan eto heb stopio."

Gwelodd e botelaid o chwisgi ar y bwrdd ac arllwysodd wydraid iddo'i hun.

"Ydy e mewn perygl?"

Roedd llais y ferch yn nerfus iawn.

Trodd y meddyg a gwenu arni.

"Peidiwch â phoeni," meddai. "Dydy e ddim mewn unrhyw berygl. Mae e wedi bod yn lwcus iawn. Ond fe fydd rhaid iddo aros yn y gwely am beth amser. Fyddwch chi'n gallu gofalu amdano fe?"

Edrychodd Alis ar y maer.

"Mae stafell sbâr 'da fi, Alis," meddai hwnnw. "Fe hoffwn i ichi aros yma nes i Bob wella. Fydd hynny'n bosibl?"

Roedd Alis yn edrych yn fwy hapus nawr.

"O, bydd," meddai. "Diolch yn fawr."

"Diolch i chi, Alis. Roeddwn . . ."

Clywson nhw rywun yn curo'n galed ar y drws. Aeth y maer i'w agor a'i ddryll yn ei law.

"Pwy sy yno?" gwaeddodd Siôn Watt, oedd yn eistedd ar ei wely.

Edrychodd ar y cloc yng nghornel y stafell. Hanner nos. Roedd e bron â chysgu. Anelodd ei ddryll at y drws a oedd yn agor yn araf.

45

"O, Mr Maer," meddai, gan weld pwy oedd yn dod i mewn. "Eisteddwch i lawr. Beth sy'n bod? Oes problem?"

Eisteddodd y maer yn drwm yn y gadair. Roedd e'n edrych yn ddifrifol iawn.

"Chlywsoch chi mo'r saethu yn y salŵn heno?" gofynnodd.

"Do, fe glywais i ergyd," meddai Siôn. "Ond es i ddim i weld beth oedd yn digwydd. Rydw i wedi cael digon o drafferth. Dim ond aros am y pardwn rydw i nawr."

Tynnodd y maer faco o'i boced a dechrau gwneud sigarét. Sylwodd y cowboi fod dwylo'r maer yn crynu.

"Mae llawer o drafferth yn y Graig Wen ar hyn o bryd," meddai'r maer yn sydyn.

"Pa fath o drafferth?"

"Fe gafodd Bob Clarke ei saethu heno."

Cododd Siôn o'r gwely.

"Bob Clarke . . . gan bwy?"

"Llofrudd o'r enw Jim Daniels. Chafodd Bob ddim siawns."

"Ydy e wedi marw?"

"Nac ydy, diolch byth. Roedd e'n lwcus, ond fe fydd rhaid iddo aros yn y gwely am beth amser."

Yn sydyn meddyliodd Siôn am y ferch â'r gwallt melyn hir.

"Ydy Alis yn gwybod?"

"Ydy. Fe fydd hi'n aros gyda fi a gofalu am Bob nes iddo fe wella."

"Beth am y dynion yn y carchar?"

46

"Mae allweddi'r carchar yn ddiogel," meddai'r maer. "Dim ond Bob Clarke a fi sy'n gwybod lle maen nhw wedi'u cuddio. Ond dyma'r broblem: mae Jim Daniels eisiau inni ryddhau Gonzalez a'i ddynion o'r carchar."

"Ydy e wir?" meddai Siôn gan eistedd ar y gwely eto.

Syllodd y maer arno am funud heb fentro siarad. Wedyn:

"Gwrandewch, Siôn," meddai. "Fe fydd rhaid inni gael rhywun i wneud gwaith Bob Clarke."

Edrychodd Siôn i fyny.

"Bydd," cytunodd. "Ond pwy?"

Roedd y maer mewn penbleth.

"Rydw i wedi siarad â phobl bwysig y dref, Siôn. Maen nhw i gyd eisiau i chi aros yma fel dirprwy-siryf."

Roedd geiriau'r maer yn sioc i'r cowboi.

"Dirprwy-siryf — llofrudd fel fi?"

"Mae hynny yn y gorffennol, Siôn," meddai'r maer yn gyflym. "Pan fydd y rheilffordd yn cyrraedd y Graig Wen fe fydd rhaid inni gael dynion fel chi i gadw'r gyfraith. Fe fydd Bob Clarke eisiau ichi aros hefyd."

Cododd Siôn yn sydyn a cherdded at y ffenestr.

"Dywedwch y gwir, Mr Maer," meddai mewn llais crac. "Dydych chi ddim eisiau i fi aros. Rydych chi eisiau i fi ymladd â Jim Daniels. Wel, rydw i wedi ennill fy mhardwn yn barod, felly rydw i'n gwrthod eich cynnig chi."

Ceisiodd y maer ddweud rhywbeth ond roedd y

cowboi yn colli ei dymer.

"Os oedd Jim Daniels yn rhy gyflym i Clarke fe fydd e'n rhy gyflym i fi hefyd. A phwy fydd yn gofalu amdana i pan fydd bwled yn fy nghorff i?"

Taniodd y maer ei sigarét.

"Fydd dim rhaid ichi ymladd â Daniels, Siôn," meddai'n dawel. "Rydw i wedi penderfynu rhyddhau Gonzalez a'i ddynion yfory am hanner dydd."

"Beth?"

Doedd Siôn ddim yn gallu credu ei glustiau.

"Am hanner dydd fe fydd Daniels yn dod â gwystl i'r carchar," esboniodd y maer. "Bydd rhaid inni ryddhau Gonzalez neu fe fydd Daniels yn lladd y gwystl."

Siglodd Siôn ei ben yn araf.

"Rydw i'n nabod Daniels," meddai. "Fe fydd e'n lladd y gwystl beth bynnag. Mae e'n hoffi lladd pobl."

Sychodd y maer ei dalcen.

"Gobeithio fydd e ddim yn ei lladd hi, Siôn."

Syllodd Siôn arno.

"Hi?"

"Fe ddaeth Cabe Grant â'r newyddion imi gynnau fach," meddai'r maer yn drist. "Maria Grant ydy'r gwystl, Siôn."

11.

Aeth Siôn Watt i swyddfa'r siryf am hanner awr wedi un ar ddeg yn y bore. Roedd y maer yno yn disgwyl amdano.

"Dyma allweddi'r gell, Siôn," meddai'r maer yn dawel. "Mae'n rhaid i chi benderfynu beth i'w wneud â nhw. Ond peidiwch â chymryd siawns. Mae bywyd Maria yn bwysicach na Pedro Gonzalez a'i ddynion i gyd."

Aeth Siôn at ddesg Bob Clarke a thynnu seren arian allan o'r drôr. Pan welodd y carcharorion y cowboi yn gwisgo'r seren dechreuon nhw ei sarhau a chwerthin am ei ben.

"Hei, Mellten," gwaeddodd un ohonyn nhw. "Mae'r seren yna yn anlwcus. Cofiwch am eich ffrind y siryf."

"Agorwch ddrws y gell inni, Mellten," meddai lleidr arall. "Fe fyddwn ni'n palu bedd ichi ym mynwent y Graig Wen!"

Gadawodd Siôn a'r maer swyddfa'r siryf heb ddweud gair wrth y lladron. Cerddon nhw'n syth at y salŵn. Roedd y stryd yn wag er bod y siopau ar agor. Roedd pobl y dref wedi clywed am fygythiad Jim Daniels ac roedden nhw i gyd yn aros y tu ôl i'w llenni.

Cyrhaeddon nhw'r salŵn a throdd Siôn at y maer.

"Arhoswch amdana i y tu mewn," dywedodd. "Allwch chi wneud dim byd yma ar y stryd."

Edrychodd y maer ar y cowboi. Doedd dim lliw ar fochau Siôn. Roedd yn amlwg ei fod e'n poeni am y ferch.

"O'r gorau, Siôn," meddai. "Rydw i'n mynd i gadw cwmni i Cabe Grant. Byddwch yn ofalus. Pob hwyl!"

"Diolch. Peidiwch â phoeni."

Roedd meddyliau Siôn yn chwerw. Oedd e'n mynd i golli Maria ar ôl ennill ei ryddid? Doedd e ddim yn gallu ymddiried yn Jim Daniels.

Aeth i sefyll ar waelod grisiau'r salŵn a syllu ar y llety ar ben arall y stryd. Roedd yr haul yn uchel yn yr awyr las, ond roedd Siôn yn teimlo'n oer ac yn nerfus.

Agorodd drws y llety yn sydyn ac ymddangosodd dau ffigwr. Yr un eiliad clywodd Siôn rywun yn dod i lawr grisiau'r salŵn. Trodd ei ben a gweld mai'r hen feddwyn oedd yno. Aeth yr hen ddyn heibio i Siôn heb ddweud gair a cherddodd yn araf i fyny'r stryd. Doedd e ddim yn cerdded yn syth ac roedd potel hanner gwag yn ei law.

Yn y cyfamser roedd Jim Daniels yn dod i lawr y stryd gan wthio Maria o'i flaen. Roedd y llofrudd yn edrych o'i gwmpas drwy'r amser ond doedd neb i'w weld yn y stryd fawr ond Siôn Watt a'r hen ŵr meddw.

Roedd Daniels a Maria yn agos at yr hen feddwyn erbyn hyn, ond aeth e heibio heb sylwi arnyn nhw. Pan oedden nhw dri deg o lathenni o'r salŵn cerddodd Siôn Watt allan i ganol y stryd.

"Daniels," meddai'n dawel. "Gadewch i'r ferch fynd."

Edrychodd y llofrudd ar y seren ar grys y cowboi a phoerodd yn y llwch.

"Felly dirprwy-siryf ydych chi nawr," sylwodd. "Wel, wel . . ."

50

"Gadewch i'r ferch fynd, Daniels."

Gwenodd y llofrudd yn oeraidd.

"Na wnaf. Gollyngwch eich gwn neu fe fydda i'n ei ladd hi."

"Peidiwch, Siôn," meddai Maria yn ddewr. "Cadwch eich gwn. Does dim ofn arna i."

Chwarddodd Daniels yn uchel.

"Ydych chi'n clywed, Siôn?" meddai. "Mae hi'n eich caru chi. Dyna pam mae hi'n siarad fel yna. Ydych chi'n mynd i'w haberthu hi am ddim? Os gwnewch chi ryddhau'r carcharorion, fe fydda i'n rhyddhau'r ferch."

Roedd y chwys yn rhedeg i lawr wyneb Siôn Watt. Doedd e ddim yn ymddiried yn Daniels, ond doedd e ddim yn gallu chwarae gyda bywyd Maria. Roedd e mewn sefyllfa amhosibl.

Yna clywson nhw lais arall — llais yr hen feddwyn. Ond roedd ei lais yn glir ac yn sobr.

"Glywsoch chi, Daniels? Gadewch i'r ferch fynd."

Trodd y llofrudd ei ben a gweld gwn yn llaw'r hen ŵr.

"Peidiwch â meddwl yn rhy hir, Daniels," meddai'r dyn. "Dydw i ddim wedi yfed ers ichi daflu'r cwrw yn fy wyneb i . . . Maria, dewch yma."

Roedd rhaid i Daniels ryddhau'r ferch a rhedodd hi at yr hen ŵr.

"Nawr gallwch chi setlo'ch busnes gyda Mellten," meddai'r hen ddyn wrth Daniels.

Trodd y llofrudd i wynebu'r dirprwy-siryf.

"Gwrandewch, Siôn," meddai. "Gadewch i fi fynd â Gonzalez a'i ddynion o'r Graig Wen neu fe fydd rhaid i fi saethu."

"Gollyngwch eich gwn, Daniels," meddai Mellten heb betruso. "Rydych chi'n mynd i dalu am saethu Bob Clarke."

"Peidiwch â bod yn ffŵl, Siôn Watt. Dydych chi ddim yn ddigon cyflym gyda gwn. Fe welsoch chi fi'n saethu o'r blaen. Ydych chi eisiau marw?"

Symudodd Mellten ddim.

"Rydych chi'n *rhy* gyflym, Daniels," meddai. "Ydych chi'n cofio'r polion yn y gwersyll? Fe fethoch chi gyda dwy o'ch chwe ergyd. Os methwch chi nawr gyda'ch bwled gyntaf, marw fyddwch chi. Dydyn ni ddim yn chwarae y tro hwn. Mae deg eiliad 'da chi i benderfynu."

Dechreuodd Siôn rifo mewn llais uchel, ond roedd ei lygaid ar ddwylo'r llofrudd drwy'r amser.

"Un . . . dau . . . tri . . . pedwar . . . pump . . . chwech . . . saith . . . wyth. . ."

"Stopiwch!" gwaeddodd Daniels.

Roedd e'n crynu fel deilen a chododd ei ddwylo yn araf uwch ei ben.

"Peidiwch â saethu," erfyniodd.

Daeth yr hen ŵr a thynnu gwn Daniels o'i wregys. Rhedodd Maria at Siôn a chwarddodd yr hen ŵr yn hapus.

"Rydw i'n mynd â'r llwfrgi 'ma i'r carchar, Siôn," meddai. "Gofalwch am y ferch."

Daeth y maer a thad Maria allan o'r salŵn a rhoddodd yr hen ŵr ddryll Daniels i'r maer.

"Wyt ti'n iawn, Maria?" gofynnodd Cabe Grant.

"Ydw, Dad; rydw i'n iawn."

Roedd pobl yn dod allan o'r tai a'r siopau. Roedden nhw i gyd eisiau llongyfarch Mellten. Ond roedd Siôn yn meddwl am eiriau'r hen ŵr. Gafaelodd yn llaw Maria, a gwenodd arni. Oedd, roedd e'n mynd i ofalu amdani hi am weddill ei fywyd.

GEIRFA *VOCABULARY*

aberthu *to sacrifice*
acw *over there*
achlysur (-on) *occasion*
achos *because*
achub *to save*
adeilad (-au) *building*
adeiladu *to build*
adref *(to) home*
adrodd *to report, recount*
addo *to promise*
aeth *went*
agor *to open;* ar agor *open*
agos *near*
angen *need*
anghofio *to forget*
alaru; rydw i wedi alaru ar *I'm sick of*
allan *out*
allwedd (-i) *key*
amhosibl *impossible*
aml *often*
amlwg *obvious*
amser *time;* trwy'r amser *all the time*
anadlu *to breathe*
anelu *to aim*
anfon *to send*
anifail (anifeiliaid) *animal*
anlwcus *unlucky*
ar draws *across*
araf *slow*
arall (eraill) *(an)other*
arbennig *special, particular*
arch (eirch) *coffin*
ardal (-oedd) *district*
arfer *to be used to*
arian *silver; money*
arllwys *to pour*
aros *to stay, wait, stop*
arwain *to lead*
arwydd (-ion) *sign*
ateb *answer; to answer*

aur *gold*
awdurdod (-au) *authority*
awn *let's go*
awr (oriau) *hour*
awyr *sky*

baco *tobacco*
bach *small*
bachgen (bechgyn) *boy*
baglwch hi! *beat it!*
bai (beiau) *fault, blame;* nid arna i roedd y bai *it wasn't my fault*
balch (o) *glad (to)*
barnwr *judge*
bedd (-au) *grave*
bellach *by now*
berwi *to boil*
beth *what;* beth bynnag *anyway;* beth sy'n bod? *what's the matter?*
blaen *front;* o flaen *in front of;* o'r blaen *before*
blasus *tasty*
blinedig *tired*
blino *to tire;* wedi blino *tired*
blwch (blychau) *box*
blwyddyn (blynyddoedd, blynedd) *year*
boch (-au) *cheek*
bodd; wrth ei fodd *glad*
bola *stomach*
bore *morning*
braf *fine*
braich (breichiau) *arm*
brawd (brodyr) *brother*
brefu *to bleat, low*
bron (â) *almost*
brws *brush*
brwydr (-au) *battle, fight*
bryn (-iau) *hills*
brysio *to hurry*
buan; yn fuan *soon*

55

bwlch (bylchau) *gap*
bwled (-i) *bullet*
bwrdd (byrddau) *table*
bwriadu *to intend*
bwyd *food*
bwyta *to eat*
byd *world;* dim byd *nothing*
bygythiad *threat*
bys (-edd) *finger*
byth *never, ever; still*
byw *to live*
bywyd (-au) *life*

cadair (cadeiriau) *chair*
cadw *to keep*
cael *to have*
caled *hard*
camgymeriad (-au) *mistake*
canol *middle*
canu *to sing, to play*
carchar (-au) *prison*
carcharor (-ion) *prisoner*
cario *to carry*
caru *to love*
casglu *to gather*
cau *to close;* ar gau *closed*
cawl *soup*
cefn (-au) *back*
ceffyl (-au) *horse*
ceg (-au) *mouth*
cegin (-au) *kitchen*
ceisio *to try*
cell (-oedd) *cell*
cerdded *to walk*
cinio *dinner*
cipio *to seize*
claddu *to bury*
clec *crash*
clepian *to slam*
clir *clear*
clirio *to clear*
clust (-iau) *ear*
clymu *to tie*
clywed *to hear*
cnawd *flesh*

coch *red*
cochi *to blush*
codi *to get up, raise, pick up*
coed *wood*
coes (-au) *leg*
coets fawr *stage-coach*
cofio *to remember*
coginio *to cook*
cogydd (-ion) *cook*
colli *to lose*
corff (cyrff) *body*
cornel (-i) *corner*
costus *expensive*
cot (-iau) *coat*
crac *angry*
craig (creigiau) *rock*
credu *to believe, think*
criw *crew, gang*
croeso *welcome*
crwydro *to wander*
crynu *to tremble*
crys (-au) *shirt*
cuddio *to hide*
curo *to knock*
cwmni *company*
cwpan (-au) *cup*
cwpanaid *a cup (of)*
cwr; ar gyrion *on the edge of*
cwrdd (â) *to meet*
cwrs; wrth gwrs *of course*
cwrw *beer*
cwsmer (-iaid) *customer*
cwyno *to complain*
cyfamser *meantime*
cyfarfod (-ydd) *meeting*
cyfeillgar *friendly*
cyfeirio *to indicate, point*
cyflym *fast, quick*
cyfraith *law*
cyfrwy (-au) *saddle*
cyfforddus *comfortable*
cymaint *so many, as many*
cymhleth *complicated*
cymryd *to take*
cyn *before;* cyn bo hir *soon*

cynllun (-iau) *plan*
cynllunio *to plan*
cynnar *early*
cynnau *to light*
cynnig *offer; to offer*
cyntaf *first*
cyrraedd *to reach, arrive (at)*
cysgod (-ion) *shadow*
cysgu *to sleep*
cystal *as good*
cytuno *to agree*
cyw iâr *chicken*

chwarae *to play*
chwarddodd *laughed*
chwarter *quarter*
chwe, chwech *six*
chwerthin (am ben) *to laugh (at)*
chwerw *bitter*
chwilio (am) *to search (for)*
chwisgi *whisky*
chwith *left*
chwys *sweat*
chwysu *to sweat*

da *good;* da gen i *I'm glad to*
daear *earth*
daeth *came*
dafad (defaid) *sheep*
dal *to catch;* dal (i) *to still be*
damwain *accident*
dangos *to show*
dathlu *to celebrate*
dau, dwy *two*
daw *comes*
deall *to understand*
dechrau *to start*
dedfryd *sentence*
defnyddio *to use*
deffro *to wake up*
deg, deng *ten*
deilen (dail) *leaf*
derbyn *to accept*
dere *come*
desg (-iau) *desk*

deuddeg *twelve*
deunaw *eighteen*
dewch *come*
dewis *to choose*
dewr *brave*
dianc *to escape*
diddordeb *interest*
dieithryn *stranger*
difrifol *serious*
digon *enough, plenty*
digwydd *to happen*
digwyddiad (-au) *happening*
dilyn *to follow*
dillad *clothes*
diod (-ydd) *drink*
diogel *safe*
diolch *to thank, thanks;* diolch
   byth *thank goodness*
dirprwy (-on) *deputy*
dirprwy-siryf *deputy sheriff*
disgleirio *to shine*
disgwyl *to expect, wait*
disgyn *to descend, dismount*
distaw *silent*
distawrwydd *silence*
diwedd *end;* o'r diwedd *at last*
diweddar *recent*
diwethaf *last, latest*
diwrnod (-au) *day*
dod *to come;* dod â *to bring*
dodi *to put*
doler (-i) *dollar*
dringo *to climb*
drôr (droriau) *drawer*
dros *over*
drwg *bad;* mae'n ddrwg 'da fi
   I'm sorry
drws (drysau) *door*
drwy *through*
drych *mirror*
dryll *gun*
du *black*
dweud *to say, tell*
dwfn *deep*
dŵr *water*

dwylo *hands*
dydd (-iau) *day*
dyn (-ion) *man*
dysgu *to learn*

ddoe *yesterday*

eang *wide*
echdoe *the day before yesterday*
edrych (ar) *to look (at)*
efallai *perhaps*
eiddigeddus *envious*
eiliad (-au) *second, moment*
eillio *to shave*
eisiau *want*
eistedd *to sit*
eitha *quite*
ennill *to win, to earn*
enw (-au) *name*
enwog *famous*
er *although;* er mwyn *in order to*
erbyn *by;* erbyn hyn *by now*
erfyn *to plead*
ergyd (-ion) *shot*
erioed *ever*
esbonio *to explain*
esgusodi *to excuse*
estyn *to reach, extend*
eto *again*
ewch *go*

faint; am faint o'r gloch *at what time;* ers faint *how long*
fel *as, like, how*
felly *so*
i fyny *up*

ffaith (ffeithiau) *fact*
ffenestr (-i) *window*
ffermwr (-wyr) *farmer*
ffidil *fiddle*
ffigwr *figure*
fflach *flash*
fflachio *to flash*
ffordd (ffyrdd) *way, road*

ffrind (-iau) *friend*
ffrynt *front*
ffug *fake*
ffŵl (ffyliaid) *fool*
i ffwrdd *away*

ga i *may I, may I have*
gadael *to leave, let*
gafael (yn) *to grasp*
gair (geiriau) *word*
galw *to call*
gallu *to be able to, can*
gefynnau *fetters, handcuffs*
gelyn (-ion) *enemy*
ger *near*
ei gilydd *each other;* gyda'i gilydd *together*
glân *clean*
glanhau *to clean*
glas *blue*
o'r gloch *o'clock*
gobeithio *to hope*
gofalu (am) *to look (after)*
gofalus *careful*
gofyn *to ask*
golau *light*
golchi *to wash*
golwg *look*
golygus *handsome*
gollwng *to release, drop*
gorau *best;* o'r gorau *all right*
gorchymyn *to order*
gorffen *to finish*
y gorffennol *the past*
gorffwys *to rest*
gorllewin *west*
gormod *too much*
gorsaf (-oedd) *station*
gorwedd *to lie*
gosod *to put, set*
gris (-iau) *step, stair*
grŵp (grwpiau) *group*
gwaeddodd *shouted*
gwael *bad, ill*
gwaelod *bottom*

58

gwag *empty*
gwagio *to empty*
gwaith *work; time*
gwallt *hair*
gwan *weak*
gwartheg *cattle*
gwastad *flat*
gwastraffu *to waste*
o gwbl *at all*
gweddill *rest*
gwefus (-au) *lip*
gweiddi *to shout*
gweini *to serve*
gweld *to see;* os gwelwch yn
    dda *please*
gwely (-au) *bed*
gwell *better*
gwella *to get better*
gwên *smile*
gwenu (ar) *to smile (at)*
gwersyll *camp*
gwersylla *to camp*
gwerth *worth*
gwerthfawr *valuable*
gwesty *hotel*
gwir *true;* yn wir *really;* y gwir
    the truth
gwisgo *to wear, dress, put on*
gwlad *country*
o gwmpas *around*
gwn (gynnau) *gun*
gwnaf *I will*
gwneud *to make, to do*
gŵr (gwŷr) *man*
gwrando (ar) *to listen (to)*
gwregys (-au) *belt*
gwrthod *to refuse*
gwthio *to push*
gwybod *to know*
gwydraid *glass (of)*
gwydryn (gwydrau) *drinking glass*
gwylio *to watch*
gwyllt *wild*
gwyn, gwen *white*
gwynt (-oedd) *wind*

gwyrth (-iau) *miracle*
gwystl *hostage*
i gyd *all*
gyferbyn (â) *opposite*
gynnau fach *just now*
gyrrwr (gyrwyr) *driver*

hanes *story*
hanner *half;* hanner dydd
    midday; hanner nos *midnight*
hapus *happy*
hardd *beautiful*
haul *sun*
hawdd *easy*
heb *without*
hefyd *also, as well*
heibio (i) *past*
helpu *to help*
hen *old*
heno *tonight*
het (-iau) *hat*
hir *long*
hoff (o) *fond (of)*
hoffi *to like*
yn hollol *exactly*
hunllef *nightmare*
hwyl *fun;* pob hwyl *cheerio, best
    of luck*
hwyr *late; evening*
hyd yn hyn *so far*
o hyd *still*
hyfryd *nice*
hyll *ugly*
hynaf *oldest*

iach *healthy*
iawn *very; all right; real*
iechyd *health*
ifanc *young*
isel *low, quiet*

lan lofft *upstairs*
i lawr *down*
lwc *luck;* wrth lwc *luckily;* pob
    lwc *best of luck*

59

lwcus *lucky*

lladd *to kill*
llafur *labour*
llai *less;* pam lai *why not*
llais (lleisiau) *voice*
llall (lleill) *other*
llanc (-iau) *youth*
llathen (-ni) *yard*
llaw (dwylo) *hand;* gyda llaw *by the way*
llawer *many, a lot*
llawn *full*
llawr *ground, floor*
lle (-oedd) *place; room; where;* o'i le *wrong*
lledr *leather*
lleiaf *least;* o leiaf *at least*
lleidr (lladron) *robber*
llen (-ni) *curtain*
llestr (-i) *dish*
llety *lodging*
lletywr (lletywyr) *lodger*
lliw (-iau) *colour*
llofrudd *murderer*
llond *full*
llongyfarch *to congratulate*
llonydd *peace;* gadewch lonydd i fi *leave me alone*
llowcio *to swallow*
llwch *dust*
llwfrgi *coward*
llwybr (-au) *path*
llwyd *grey*
llwyddo *to succeed*
llwyfan *platform*
llwyr *complete*
llygad (llygaid) *eye*
llym *sharp*
llys *court*
llywodraethwr *governor*

machlud *to set (sun)*
maer *mayor*
magl (-au) *trap*

man *place;* yn y fan a'r lle *on the spot*
marchnad (-oedd) *market*
marchogaeth *to ride*
marw *to die;* bu farw *he died*
marwolaeth (-au) *death*
math *sort;* pa fath *what kind*
mawr *big, great*
meddai, medden *said*
meddw *drunk*
meddwi *to get drunk*
meddwl *to think*
meddwyn *drunkard*
meddyg (-on) *doctor*
meddyliau *thoughts*
melyn *yellow*
mellten *lightning*
mentro *to venture*
merch (-ed) *daughter, girl*
methu *to fail, be unable to; to miss*
mil *thousand*
milltir (-oedd) *mile*
miniog *sharp*
mor *so, as*
munud (-au) *minute*
mwstas *moustache*
mwy (na) *more (than); bigger*
mwynhau *to enjoy*
mwynwr *miner*
mynd *to go;* mynd yn *to become*
mynwent (-ydd) *graveyard*
mynydd (-oedd) *mountain*

nabod *to know*
nant (nentydd) *stream*
naturiol *natural*
naw *nine*
nawr *now*
neb *anyone, no-one*
neidio *to jump*
neithiwr *last night*
nes *until*
neu *or*
neuadd (-au) *hall;* neuadd y dref *town hall*

60

newid *to change*
newydd *new;* newyddion *news;*
  roedd newydd ddechrau *it had
  just begun*
nodyn *note*
nôl *to fetch*
nos, noson *night;* nos dawch
  good night

ochneidio *to sigh*
ochr (-au) *side*
oddi ar *off*
oed *(years) of age*
oer *cold*
oeraidd *cold*
ofn *fear;* roedd ofn arna i *I was
  afraid*
ofnadwy *awful*
ofni *to fear*
ôl (olion) *trace*
ar ôl *after*
yn ôl *back, ago*
ond *but;* dim ond *only*
ots; doedd dim ots ganddo *he
  didn't care*

pabell (pebyll) *tent*
palu *to dig*
pan *when*
papur (-au) *paper;* papur
  newydd *newspaper*
paratoi *to prepare*
parchus *respectful*
pardwn *pardon*
parlwr *parlour*
parod *ready;* yn barod *already*
pawb *everyone*
pedwar, pedair *four*
pell *distant*
pellter *distance*
pen (-nau) *head, top, end;* ar fy
  mhen fy hun *by myself*
penbleth *quandary*
pendant *definite*
penderfynol *determined*

penderfynu *to decide*
pennaeth *chief*
pentref (-i) *village*
penwythnos *weekend*
perchennog *owner*
perffaith *perfect*
perthyn *to belong*
perygl (-on) *danger*
peryglus *dangerous*
petawn, petai . . . *if I were, if he
  were . . .*
petruso *to hesitate*
peth (-au) *thing;* peth amser *some
  time*
plât (platiau) *plate*
pob *every*
pobl *people*
poblogaidd *popular*
poced (-i) *pocket*
poeni *to worry*
poeri *to spit*
poeth *hot*
polyn (polion) *pole*
popeth *everything*
potel (-i) *bottle*
potelaid *bottle (of)*
prawf *trial*
pren *wood*
pris (-iau) *price*
profi *to taste*
pryd *time; when;* ar hyn o bryd *at
  the moment;* hen bryd *high time*
pryderus *anxious*
prynhawn *afternoon*
prynu *to buy*
prysur *busy*
pum, pump *five*
pwdu *to sulk*
pwy *who*
pwysig *important*
pymtheg *fifteen*

restio *to arrest*

rhaid; roedd rhaid iddo *he had to*

61

rhedeg *to run*
rheilffordd *railway*
rheoli *to control*
rheswm (rhesymau) *reason*
rhif (-au) *number*
rhifo *to count*
rhoddi, rhoi *to give, to put*
rhuthro *to rush*
rhwng *between*
rhwystro *to prevent*
rhy *too*
rhybudd (-ion) *warning*
rhydd *free*
rhyddhau *to free*
rhyddid *freedom*
rhyfedd *strange*
rhywbeth *something*
rhywle *somewhere*
rhywun *someone*

sach gysgu *sleeping bag*
saethu *to shoot*
saethwr *shooter*
saith *seven*
sarhau *to insult*
sarrug *sullen*
sbâr *spare*
sedd (-au) *seat*
sefyll *to stand*
sefyllfa (-oedd) *situation*
seren (sêr) *star*
siarad *to speak, talk*
siaradus *talkative*
siawns *chance*
siglo *to shake*
siop (-au) *shop*
siopa *to shop*
siryf *sheriff*
siŵr *sure*
siwt *suit*
sobr *sober*
sôn *to speak*
sosban *saucepan*
stabl (-au) *stable*
stafell (-oedd) *room*

stof *stove*
stondin (-au) *stall*
stryd (-oedd) *street;* stryd fawr
  main street
swil *shy*
swm *sum*
sŵn *sound*
swnllyd *noisy*
swper *supper*
swyddfa *office*
sych *dry*
syched *thirst;* mae syched arnon
  ni *we're thirsty*
sychu *to wipe, to dry*
sydyn *sudden*
sylwi *to notice, observe*
syllu *to stare*
symud *to move*
syn *surprised*
syniad (-au) *idea*
synnu *to be surprised*
syr *sir*
syrthio *to fall*
syth *straight, straightaway*

taclus *tidy*
tad (-au) *father*
taflu *to throw*
tal *tall*
talcen *forehead*
talu *to pay*
tân (tanau) *fire*
tanio *to light*
tawel *quiet*
tawelu *to quieten*
tebyg *likely*
teg *fair*
tegell *kettle*
teimlad (-au) *feeling*
teimlo *to feel*
teithio *to travel*
teithiwr (-wyr) *traveller, passenger*
teulu (-oedd) *family*
tew *fat*
tipyn *a little*

tlws *pretty*
toc *soon*
torri *to break*
tra *while*
trafferth (-ion) *trouble*
trannoeth *next day*
tref (-i) *town*
trefnu *to arrange*
treulio *to spend (time)*
tri, tair *three*
triniaeth *treatment*
trist *sad*
tro *turn; time;* mynd am dro *to go for a walk*
troed (traed) *foot*
troi *to turn*
trueni *pity*
trwm *heavy*
y tu allan i *outside*
y tu mewn *inside*
y tu ôl i *behind*
tua *towards; about*
twll (tyllau) *hole*
twyllo *to cheat, trick*
tŷ (tai) *house*
tybed *I wonder*
tymer *temper*
tynnu *to pull, draw; to take off*
tyrfa *crowd*
tywydd *weather*
tywyll *dark*
tywyllwch *darkness*

uchel *high; loud*
ugain *twenty*
un *one;* yr un *the same*
un ar ddeg *eleven*

unrhyw *any*
unwaith *once;* ar unwaith *at once*
uwch *above*
uwchben *above, over*

wagen *waggon*
wal (-iau) *wall*
wats *watch*
wedyn *then*
wn i ddim *I don't know*
wyneb (-au) *face*
wynebu *to face*
wyth *eight*

yfed *to drink*
yfory *tomorrow*
ymadael *to leave, depart*
ymddangos *to appear*
ymddeol *to retire*
ymddiheuro *to apologise*
ymddiried (yn) *to trust*
ymddwyn *to behave*
ymguddio *to hide*
ymhen *after, in (time)*
ymhlith *among*
ymladd *to fight; fight*
ymlaen *on, forward*
ymolchi *to wash*
ymosod (ar) *to attack*
ymuno (â) *to join*
yn ymyl *beside*
ysbryd *spirit*
ysgafn *light*
ysgol *school*
ysgubor *barn*
ysgwydd (-au) *shoulder*